Pour Lola et Romy, petites fées du printemps.
S. C.

Aux trois printemps d'Asia.
H. L. G.

© Flammarion 2013
ISBN : 978-2-0812-5845-7 / L.01EJDN000699.A005
Fabriqué en Chine par Papersong en janvier 2022
Dépôt légal : mars 2013
Éditions Flammarion – 87, quai Panhard-et-Levassor – 75647 Paris Cedex 13
Loi n°49-956 du 16 juillet 1949 sur les publications destinées à la jeunesse

JANVIER   FÉVRIER   MARS   AVRIL   MAI   JUIN

HIVER   PRINTEMPS

Le livre vert du printemps

Sophie Coucharrière ✳ Hervé Le Goff

Père Castor ▪ Flammarion

Il souffle un air léger.
Les bourgeons pointent le bout de leur nez,
les oiseaux recommencent à chanter.

On dirait que toute la nature se réveille.
Adieu les gros manteaux d'hiver,
on a envie de sortir pour gambader !

C'est sûr, voilà le printemps !

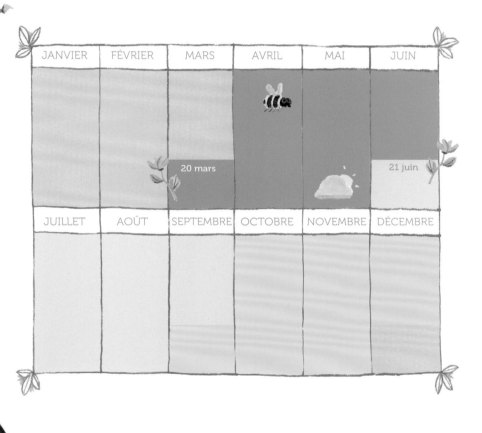

JANVIER	FÉVRIER	MARS	AVRIL	MAI	JUIN
		20 mars			21 juin
JUILLET	AOÛT	SEPTEMBRE	OCTOBRE	NOVEMBRE	DÉCEMBRE

Le printemps démarre le 20 mars sur le calendrier.
Il dure 3 mois : fin mars, avril et mai en entier,
jusqu'au mois de juin.
Le 21 juin, c'est l'été qui commence.

Ce matin, je me suis réveillé de bonne heure.
Je claironne dans la maison:
- Levez-vous, on dirait bien que le soleil revient!

Maman sort de son lit. Encore tout endormie, elle me demande:
- Qu'est-ce qui vous rend dingo, Monsieur Météo, de si bon matin?
Je tire le rideau:
- Regarde, il fait beau!

Gelées

Éclaircies

Giboulées

La météo, c'est le temps qu'il fait et qu'il fera.
Soleil ou pluie ? Chaud ou froid ?
La météo indique l'ensoleillement et la température.

Des nuages blancs, très blancs, filent à toute allure,
dans le ciel bleu, très bleu. Ils sont poussés par le vent !

J'entrouvre la fenêtre... elle claque, d'un seul coup !
Tout ébouriffé, je regarde le thermomètre : déjà 12 degrés.
– Attention, dit maman, le thermomètre est à l'abri du vent.
Dehors, tu risques d'avoir encore un peu froid
ou d'être mouillé par une giboulée.

Giboulée

Grêle

C'est quoi une giboulée ?
C'est une grosse averse accompagnée de vent, de pluie,
parfois même de grêle. Elle ne dure pas longtemps.
Après une giboulée, quand le soleil ressort,
il fait beaucoup plus doux.
Les giboulées arrivent au début du printemps :
on parle souvent des « giboulées de mars ».

Que vais-je mettre ce matin pour aller à l'école ?
Un gilet, que je pourrai déboutonner si j'ai trop chaud.
Mon blouson vert, comme les feuilles
qui repoussent dans les arbres !
Et mes baskets aux pieds,
pour courir dehors à la récré...
En avant le printemps !

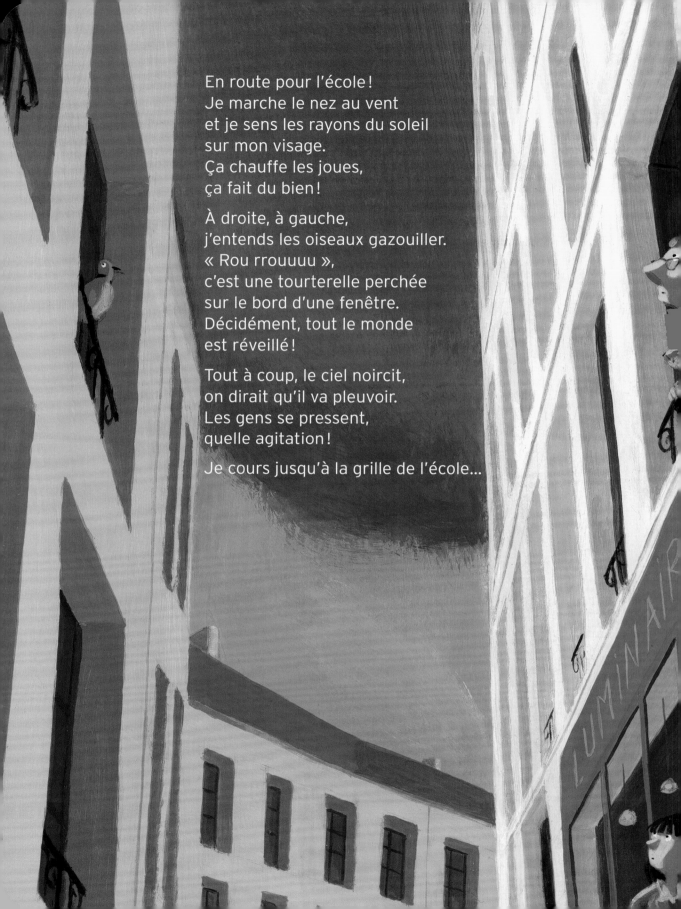

En route pour l'école!
Je marche le nez au vent
et je sens les rayons du soleil
sur mon visage.
Ça chauffe les joues,
ça fait du bien!

À droite, à gauche,
j'entends les oiseaux gazouiller.
« Rou rrouuuu »,
c'est une tourterelle perchée
sur le bord d'une fenêtre.
Décidément, tout le monde
est réveillé!

Tout à coup, le ciel noircit,
on dirait qu'il va pleuvoir.
Les gens se pressent,
quelle agitation!

Je cours jusqu'à la grille de l'école...

Ouf, l'averse est passée !
Sur les branches du marronnier,
la maîtresse nous montre les bourgeons.
– Ils donneront bientôt de belles feuilles,
nous dit-elle. Savez-vous que le printemps
est la saison où l'arbre grandit
et grossit le plus ?

« Atchoum ! » Ma copine Clara vient d'éternuer !
– C'est sans doute à cause des pollens
qui commencent à voler, explique la maîtresse.

Pourquoi les feuilles poussent ?

Pendant l'hiver, tout s'endort.
Au printemps, avec le retour du soleil,
l'arbre recommence à puiser des nutriments
dans le sol par ses racines : la sève se remet
à circuler, les bourgeons se développent.
Ils s'ouvrent pour libérer de minuscules feuilles
qui vont grandir.

Activité jardinage en classe ce matin :
on va faire germer des graines !
On a apporté des lentilles et du coton.
On cache les graines de lentilles dans le coton
que l'on a bien mouillé.
– Les graines vont donner naissance à une tige,
puis à des feuilles, nous explique la maîtresse.
Il faudra penser à les arroser.

On aligne les petits pots devant les fenêtres.
C'est en pleine lumière que les graines
germeront le mieux !

À la cantine, c'est la fête des légumes
et des fruits frais !
Des radis roses en entrée, une jardinière
de légumes pour accompagner la viande.
Et en dessert, une salade de fruits :
kiwis, pamplemousses et framboises.
Un régal de couleurs pour les yeux
et de saveurs juteuses dans la bouche !

LA RECETTE
de la farandole de légumes crus
Idéal pour un pique-nique
ou un apéritif printanier !

Il faut : 3 carottes, 1 botte de radis, 1 concombre,
des tomates cerises, 1 chou-fleur, 2 pommes.
1 yaourt, de la moutarde à l'ancienne
et de la ciboulette pour la sauce.
Des feuilles de menthe pour décorer.

1. Après les avoir épluchés, découpe les carottes, les radis,
le concombre et les pommes en forme de bâtonnets.
Sépare les petites fleurettes de chou-fleur.
Laisse les tomates cerises entières.

2. Dispose tous les légumes et la pomme
(qui donne un petit goût sucré !)
sur un grand plateau rond, en alternant les couleurs.
Ajoute les feuilles de menthe pour décorer.

3. Place au centre un pot avec la sauce
(mélange de yaourt, de moutarde et de ciboulette).
Il n'y a plus qu'à tremper les légumes dedans !

Cet après-midi, un bus nous emmène visiter des vergers.
– Les vergers sont des grands champs d'arbres fruitiers,
nous apprend la maîtresse.

Au printemps, les arbres fruitiers sont tous en fleurs.
De loin, on dirait des champs de coton !
Nous marchons le long des pommiers et des poiriers bien alignés.
Il y a aussi des pruniers et des cerisiers, chargés de fleurs roses
ou blanches. Les fleurs donneront de beaux fruits cet été.

Quand on sort de l'école, le soleil est encore là :
on dirait qu'il veut en profiter plus longtemps !
Nous aussi ! On va tous au parc.
Dans les allées, des nuées de moucherons zonzonnants
nous poursuivent.

On s'amuse à cueillir des pissenlits et à souffler dessus.
Par terre, on voit des chenilles à la queue leu leu.
Peut-être que demain elles seront devenues papillons…

Chenille ou papillon ?

L'hiver, la chenille s'enferme dans un cocon. Au bout de quelques semaines,
au printemps, un magnifique papillon sort de sa carapace pour profiter
des rayons du soleil. Il ne vivra que quelques jours seulement…

De retour à la maison, maman range les placards.
- C'est le grand ménage de printemps ! annonce-t-elle.

À l'heure du dîner, il fait encore jour.
- On pourrait presque manger dans le jardin,
mais il fait trop frais, dit maman.
- Le week-end prochain, on change d'heure ! rappelle papa.
Il faudra avancer les montres et les pendules d'une heure...

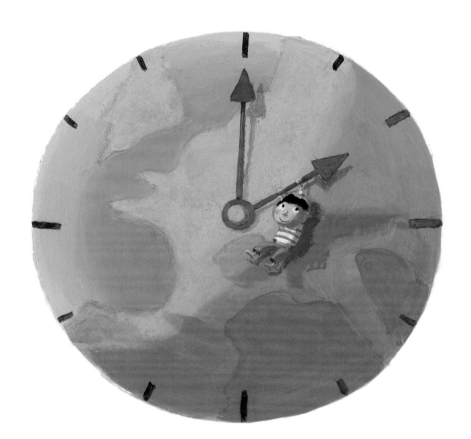

Pourquoi on change d'heure ?

En France, on change d'heure deux fois par an :
une fois en automne, une fois au printemps.
Le changement d'heure permet de mieux profiter de la lumière du soleil
(qui se lève plus tôt au printemps). On a moins besoin d'allumer la lumière
et on fait ainsi des économies d'énergie.

Il est l'heure d'aller dormir.
Dehors, un merle siffle
et j'entends les moineaux pépier.
Je n'ai pas envie de me coucher !

J'ai vu mille couleurs aujourd'hui.
Demain, je guetterai le soleil
et les herbes qui poussent.
Hier, j'étais tout engourdi,
ce soir, je sens que je grandis !
C'est une nuit de printemps sur la Terre,
et je m'endors...

Le sais-tu ?

Les prévisions
On peut prévoir
le temps qu'il fera
les jours suivants grâce
aux stations météo
du monde entier et aux
satellites qui tournent
autour de la Terre
en l'observant.

Comment fonctionne un thermomètre ?
Le thermomètre est un tube de verre
qui contient un liquide (de l'alcool).
Quand il fait chaud, le liquide se réchauffe
et prend plus de place. Le niveau de liquide
monte dans le tube de verre.
Quand il fait froid, c'est l'inverse : le liquide
refroidit, prend moins de place et le niveau
diminue. On peut lire la température grâce
aux chiffres, indiqués le long du tube :
ce sont les degrés.

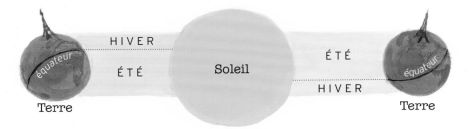

HIVER — ÉTÉ — Soleil — ÉTÉ — HIVER
Terre — équateur — équateur — Terre

Les saisons inversées
La Terre tourne autour du Soleil mais elle est un peu penchée.
La partie inclinée vers le soleil reçoit beaucoup de lumière et de chaleur : c'est l'été.
Pendant ce temps, la partie la plus éloignée est moins éclairée, moins chauffée :
c'est l'hiver. Voilà pourquoi, selon les endroits de la Terre, les saisons sont inversées.

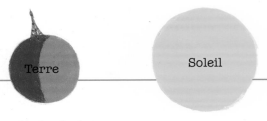

Terre — Soleil

La durée du jour
Quand le Soleil se lève et éclaire la Terre,
on dit qu'il fait jour. Quand le Soleil
se couche, il fait nuit. En été, le jour dure
longtemps parce que la région du monde
où nous habitons est plus longtemps
exposée au Soleil. En hiver, c'est l'inverse :
notre région ne reçoit pas longtemps
les rayons du soleil. C'est alors la nuit
qui dure plus longtemps que le jour.

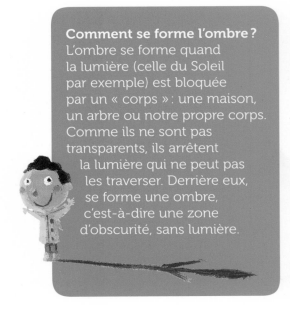

Comment se forme l'ombre ?
L'ombre se forme quand
la lumière (celle du Soleil
par exemple) est bloquée
par un « corps » : une maison,
un arbre ou notre propre corps.
Comme ils ne sont pas
transparents, ils arrêtent
la lumière qui ne peut pas
les traverser. Derrière eux,
se forme une ombre,
c'est-à-dire une zone
d'obscurité, sans lumière.